Le + grand jour de ma vie

P'TIT TOME
Albin Michel

LA FÊTE À TOTO !

Je me promène avec Papa quand je vois une affiche.

– Waouh P'pa ! Y a une fête de quartier samedi. On pourra y aller ?

– Je veux bien Toto à condition que tu sois sage d'ici là !

– Bien sûr P'pa. Qu'est-ce qui te fait croire que j'en suis pas capable ?

– Oh rien, mon Toto… juste les huit années qu'on vient de passer ensemble.

Je sens bien que Papa me croit pas trop. Eh bien, je vais lui prouver le contraire.

C'est l'heure du dîner…
– Toto, va te laver les mains, je mets le couvert !
Hé, hé, Papa ouvre la porte de la cuisine et qu'est-ce qu'il voit ? Son Toto qui a déjà mis la table. Pareil pour ma chambre : quand il entre, tout brille et mes jouets sont rangés. Et le lendemain matin, rebelote :
– Toto, debout ! C'est l'heure d'aller à l'école.
Papa entre dans la cuisine et…
– Un p'tit café, mon papa chéri ?
J'ai tout préparé et je suis prêt pour l'école, tout lavé, tout beau !

Dans la cour, on parle bien sûr que de la fête, avec mes copains. Tout à coup, j'entends Olive crier. Yassine et moi, on se précipite vers elle.
– Qu'est-ce que t'as ?
– Jonas a lancé mon cartable dans le panier de basket !
Je supporte pas quand on embête Olive alors je propose tout de suite à Yassine de me faire la courte échelle pour que je puisse atteindre le panier. Mais faut faire vite car la cloche va bientôt sonner.

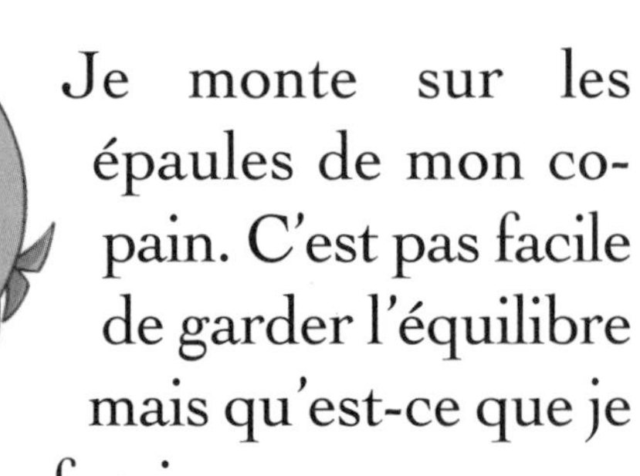

Je monte sur les épaules de mon copain. C'est pas facile de garder l'équilibre mais qu'est-ce que je ferais pas pour ma meilleure copine. Alors hop, je pousse le cartable qui tombe dans les bras d'Olive.

– Merci Toto ! Tu es génial !

Quand elle me parle comme ça Olive, ça me donne des ailes ! Mais voilà que Yassine titube et moi, je vais m'écraser par terre comme une crêpe.

OUF ! Je m'accroche au panier de basket.

– Toto ! Qu'est-ce que tu fais ?

Oh non ! C'est Madame Blanquette, la surveillante.

Et qui se retrouve dans le bureau de la directrice ? Moi… comme d'habitude !
– Toto, tu m'écriras 100 fois : « Je ne dois pas détruire le matériel scolaire. » Ça t'apprendra à jouer l'acrobate !
– Mais je voulais juste décrocher le sac d'Olive, M'dame !
– Peu importe ! Et tu feras signer tes 100 lignes par ton père.
– Par mon père ? Dites, je peux pas vous l'écrire 150 fois mais sans signature ?
– Dis donc Toto ! C'est moi qui fixe les punitions. Allez, retourne en classe !

Pfft… C'est vraiment pas juste ! Quand je retrouve mes copains à la récréation, j'ai le moral dans les chaussettes.

– Si jamais je parle de cette punition à Papa, je peux dire adieu à la fête…

– Ne lui en parle pas avant dimanche. La fête, c'est samedi !

– Yassine a raison ! Et puis moi, je lui dirai que ce n'est pas de ta faute, que t'as voulu me rendre service.

Ils sont vraiment chouettes, Yassine et Olive. Ça, ce sont de vrais copains !

Dès qu'on arrive Yassine, Olive et moi à la fête, Papa nous demande ce que l'on veut faire en premier. Je vais répondre quand Olive me chuchote qu'il y a Madame Péchoton avec Igor juste derrière nous. L'horreur ! Si elle parle à Papa, je suis cuit. Alors je dis n'importe quoi :

– Hé P'pa, si on allait faire le Chamboule Tout.

Ouf ! Gagné ! On s'éloigne de la directrice et de son Igor adoré. Je garde quand même un œil sur eux alors je fais pas attention où je vise au Chamboule Tout.

Le monsieur du stand se prend plein de balles perdues dans la figure.
– Attention Toto ! Regarde ce que tu fais !
Il est marrant Papa, je peux pas tout surveiller quand même ! Et voilà que Madame Péchoton s'approche dangereusement de nous. Faut que je trouve quelque chose à dire !
– P'pa, P'pa ! Regarde là-bas ! C'est le stand des barbes à papa. Et moi, pas de fête foraine sans barbe à papa !
Waouh ! Je l'ai échappé belle. Papa accepte et nous en offre une à chacun.

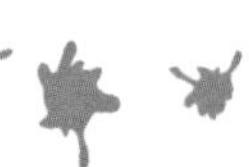

Je commence à souffler quand Olive me chuchote :
– Ne te retourne surtout pas Toto. Madame Péchoton et Igor… ils arrivent !
– Merci Olive ! Bon faut vite se déguiser ! On se fait tous une moustache et une barbe avec nos barbes à papa…
Mes copains et moi, on est méconnaissables et Olive détourne l'attention de Papa :
– Regardez Monsieur, je suis vieille. J'ai des cheveux tout blancs.

– Ha, ha, Olive ! Tu sais, une barbe à papa, c'est plutôt fait pour être mangée.
– T'as raison P'pa mais là, faut pas traîner si on veut aller au Palais des Glaces.
– Mais enfin, qu'est-ce qui vous prend de me faire courir comme ça ? C'est samedi les enfants, c'est la fête !
– Justement P'pa ! Si on se dépêche pas, on pourra pas faire les autres attractions.
– Bon d'accord. Je ne peux rien refuser à mon petit garçon qui n'a pas fait une seule bêtise depuis deux jours…

Trop chouette mon papa. J'aime pas trop le Palais des Glaces mais c'est idéal pour se cacher de Madame Péchoton. On est pas trop rassurés, mes copains et moi, dans ce labyrinthe de miroirs. Et ils sont tellement propres qu'on se cogne partout dedans.

– Hé Yassine ! Olive ! Vous êtes où ?

Et voilà, ça devait arriver. Je me retrouve tout seul. Tout à coup, l'horreur ! J'entends la voix de Madame Péchoton :

– Igor ? Igooooor ? Où es-tu ?

Hé, hé, ça me remonte le moral. Elle est aussi paniquée que moi, la directrice. Ouf ! Je reconnais la voix d'Olive. Elle est tout près… Bingo ! On s'est retrouvés. Soudain, on voit le reflet de Madame Péchoton qui cherche son Igor chéri. Ni une ni deux, je lui tire la langue et je lui fais toutes mes plus belles grimaces.

– Ça ne va pas Toto ? Et si elle te voit ? Viens, il faut vite sortir d'ici !

– T'en fais pas Olive ! C'est juste son reflet dans le miroir, elle peut pas nous voir.
Et hop ! Pour une fois que je peux me moquer de la directrice sans risquer une punition, je vais pas me gêner ! Je tire à nouveau la langue, je fais le singe quand…

– Alors Toto ? Cette punition ? Elle est signée ?
AAAAAAHHHH ! Madame Péchoton. Elle est là, en face de moi, pour de vrai. La honte !

Je cours pour sortir de ce cauchemar et BING ! Je me cogne violemment à un miroir. Et là, TOUS les miroirs s'effondrent les uns après les autres comme des dominos. Ouf ! On s'en est pas trop mal sortis, mes copains et moi. On a semé la directrice et on retrouve vite Papa dehors.

– Tout va bien les enfants ? Vous savez ce qu'il s'est passé dans le Palais des Glaces ? Il y a eu comme un bruit…

– Non, non, Monsieur ! Je crois que ça vient du Train Fantôme. Regardez, cette dame est effrayée.

Elle est trop forte, Olive. Papa la croit et moi, j'en rajoute une couche :

– Ça fait vraiment peur cette attraction. C'est plein de monstres. Allez, on s'en va ! On est très fatigués.

– C'est vrai Monsieur. Toto a raison. On n'en peut plus, Yassine et moi…

Papa est étonné mais on sait jouer les enfants fatigués quand il le faut. On va enfin quitter la fête quand… NOOON ! La voix de Madame Péchoton résonne à nos oreilles :

– Bonjour Monsieur ! Bonjour Toto ! Dites-moi Monsieur, je suis très surprise que vous emmeniez votre fils à la fête alors qu'il a une punition à faire. À moins bien sûr qu'elle ne soit déjà faite ?
C'est pas bon signe quand la directrice croise ses bras et quand Papa fronce les sourcils.
– Une punition, dites-vous ? Mais je…
– Ah évidemment Monsieur… Toto a peut-être oublié de vous le dire. Allez, à lundi !

Alors là, j'ai le bec cloué. Et à voir ma tête, Papa comprend que je suis pas vraiment à l'aise.

– Euh… P'pa, tu sais, c'est à cause du panier de basket…

– Il a raison M'sieur ! Ce n'est pas de sa faute.

– C'est vrai qu'il a été super sage, M'sieur ! Il ne méritait pas une punition.

– P'pa, c'est vraiment vrai ce que disent Yassine et Olive.

J'ai seulement récupéré le cartable d'Olive.

Il me connaît bien mon papa. Quand je parle comme ça, il sait que je raconte pas d'histoires.

Dès qu'on rentre à la maison, on s'installe Papa et moi dans son bureau et on écrit tous les deux. C'est super sympa car Papa fait la moitié de la punition.

– J'ai fait 50 lignes mon Toto. Et toi ?

– Dis donc P'pa, tu vas hyper vite. Moi, j'ai mal au poignet.

Il est trop chouette mon papa. Il me fait comprendre que s'il a la technique, c'est que lui aussi, il a été puni en classe…

J'avais oublié ! C'est vrai qu'avant d'être un papa et une maman, les parents ont d'abord été des enfants et c'est sûr qu'ils ont eu des punitions. Même Madame Péchoton !!!

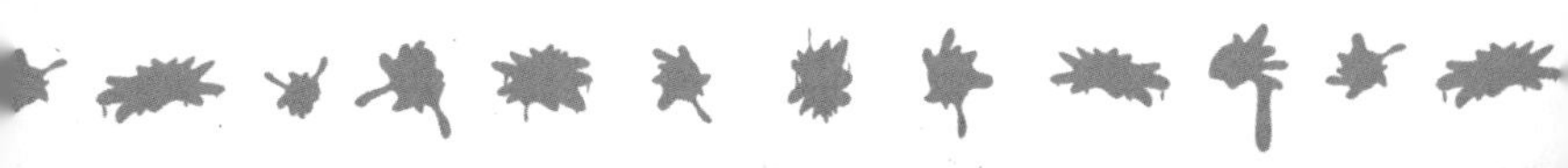

TOTO MOBILE

Ça a parfois des idées bizarres, les maîtresses. Aujourd'hui, Mademoiselle Jolibois veut nous faire apprendre les planètes et elle a rien trouvé de mieux que de nous demander de fabriquer un mobile du système solaire. J'suis un élève moi, pas un bricoleur de planètes.

– Bon les enfants, vous allez travailler par groupe de deux. Voyons… Toi Toto, tu vas faire équipe avec… Olive.

Super ! J'suis trop content de travailler avec ma meilleure copine.

Mais j'comprends pas, Olive est toute bizarre.

– Je te préviens Toto ! Ce système solaire, tu vas le construire autant que moi. Et si jamais j'ai une mauvaise note, ce sera de ta faute et là, je ne t'adresserai plus jamais la parole.

– Quoi ? Tu ferais ça ? Euh… T'inquiète pas Olive, je vais préparer tout ce qu'il faut pour faire le plus beau système solaire de tout l'univers. Ouh là ! Je l'ai échappé belle. Olive me sourit à nouveau.

Une fois à la maison, je joue dans ma chambre avec mon vaisseau spatial. Moi, j'ai besoin de me détendre après l'école. Et ça, Papa le comprend pas toujours.
– Toto ! Olive va bientôt arriver et tu n'as pas commencé ton système solaire.
Pfft... Papa sait pas que je peux jouer ET penser en même temps ! Dès que je commence mon système solaire, hop ! Je trouve tout ce qu'il faut. J'attache des balles avec un élastique et je suspends mon vaisseau spatial et ma pieuvre. Et voilà, j'ai fini !

DING ! DONG !
– J'y vais, P'pa ! C'est sûrement Olive. Gagné, c'est elle !
– Alors ? Pas mal hein ? Là, c'est la planète Mars. Là, le vaisseau de Monsieur Incorrigible et là, ma pieuvre, un gentil extraterrestre ! Et je t'attendais pour mettre la touche finale : la soupe cosmique.
– Beurk ! C'est dégoûtant Toto. Je te rappelle que Mademoiselle Jolibois veut qu'on fasse un mobile du VRAI système solaire, avec huit planètes et le soleil au centre.

Ah les filles ! C'est compliqué. Mais si Olive et Mademoiselle Jolibois veulent huit planètes, je sais où les trouver, moi : dans le tiroir de ma commode.
– Tiens Olive, prends ces balles magiques ! Regarde, y en a de toutes les tailles et de toutes les couleurs. Il suffit juste de les attacher à la place de mes navettes spatiales.
Olive a pas l'air convaincu alors pour lui prouver que mes balles sont géniales, hop ! J'en saisis une et je la fais rebondir. Waouh ! C'est fou comme elle va vite : elle passe en un éclair sur ma lampe de chevet, atterrit sur la tête de ma copine, repart rebondir contre le mur, file au plafond et BING ! Retombe encore sur le crâne d'Olive ! Une vraie comète.
Olive comprend que j'ai assez travaillé. La voilà qui s'installe à mon bureau et qui aligne mes balles de la plus petite à la plus

grosse. Et moi, pour pas la déranger, je joue avec mon vaisseau spatial. Olive a enfin fini.

– Regarde Toto ! Là, c'est Saturne avec son anneau. Et la grande, c'est Jupiter. Ici, c'est nous sur la Terre et là, c'est la Lune. Il ne manque plus que le Soleil. Et pour ça… on va utiliser ton ballon.

– Mon ballon de foot ? Ça va pas !?

Voilà Olive qui me fusille du regard.

– Écoute Toto. Soit on utilise ton ballon et on a une bonne note, soit on a une mauvaise note et on n'est plus jamais amis. Tu choisis.
Tu parles d'un choix, entre mon ballon et ma meilleure copine !
– Bon d'accord… Tiens, le voilà.
Qu'est-ce qu'il faut pas faire pour qu'Olive retrouve son beau sourire. Elle prend mon ballon-soleil, l'entoure d'un élastique et l'installe au milieu des planètes.
– Et voilà Toto ! C'est parfait !

Elle a raison Olive, il est super beau NOTRE système solaire.
– Hé, Toto ! On va le faire tourner, ça va être encore plus joli. On va avoir une bonne note !
SMACK ! C'est chaque fois pareil. Quand Olive me fait un gros bisou, je rougis comme une tomate. Je m'avance vers le mobile pour le faire tourner, Olive va adorer le spectacle.
– T'as vu ! J'ai utilisé du fil élastique pour nos planètes, elles vont tourner comme un manège.

– De l'élastique ? Non Toto ! NOOON ! Ben pourquoi elle dit ça, ma copine ? Je tire bien fort sur une des balles-planètes et... ZBOÏNG ! ZBOÏNG ! Tout le système solaire rebondit partout dans ma chambre. C'est magique, huit planètes qui tourbillonnent. Heureusement, Olive et moi, on manque pas de réflexes. Zou ! On court se réfugier dans le couloir.

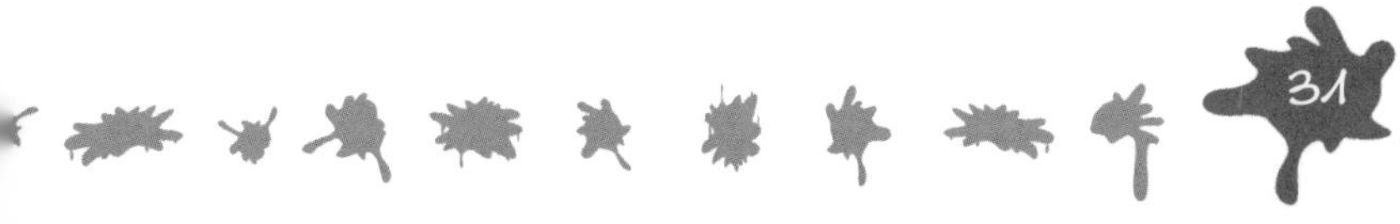

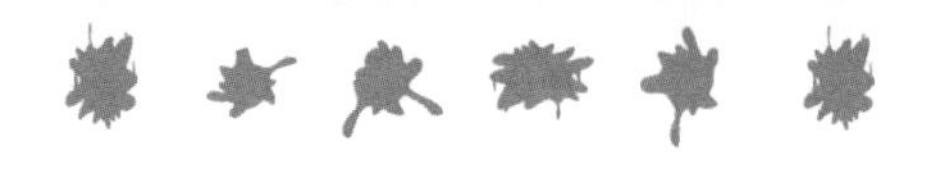

Papa vient vite aux nouvelles :
– Tout va bien les enfants ?
– Oui P'pa ! C'est juste notre mobile du système solaire qui est… très, très mobile.
– Pfft… Parle plutôt de Big Bang, Toto !
Euh… Je dois reconnaître qu'Olive a raison. Quand on ouvre la porte de ma chambre, les planètes sont tout emmêlées et mes jouets sont renversés.
– Oh non Toto !
C'est pas juste : Papa console Olive et il me jette un regard noir.

– Viens Olive, je vais te préparer un bon goûter pendant que Toto démêle ce mobile. Me laisser tout seul à m'occuper du système solaire, quelle idée ! Je monte sur un tabouret et je tire la planète Saturne d'un côté, je passe l'élastique sous Mars. Là, j'y suis presque. BOUM ! BADABOUM ! Aïe ! Ouille ! J'suis pas douillet mais là, y a de quoi hurler : le tabouret a basculé et me voilà suspendu en l'air, ficelé comme un saucisson dans le mobile. Ce système solaire commence sérieusement à me taper sur MON système.

Je gigote pour me libérer sauf que l'élastique craque d'un coup et BING ! Je me retrouve par terre avec toutes les planètes et ma pieuvre sur la tête. Et comme j'ai mon ballon coincé sous le ventre, je rebondis comme un fou dans la chambre. Maintenant, c'est moi la balle rebondissante ! Je crie tellement que Papa et Olive accourent. Seulement, au lieu de m'aider à me dégager, Papa trouve ça très drôle.

– Ne touche à rien Olive ! On va faire une photo. Je vais chercher mon appareil.

Là, j'en reviens pas. En voyant Papa me mitrailler sous tous les angles, Olive rit à son tour et trouve l'idée des photos super.

– Mais oui Toto ! Tu vas voir, les photos vont nous sauver. On va faire un super exposé sur le système solaire grâce à toi. Elle est vraiment forte, Olive !

Elle rassemble toutes les photos de moi dans le mobile, fait des super montages, et le lendemain, en classe, elle explique toute l'histoire de l'Univers. Mademoiselle Jolibois a l'air captivé par tout ce qu'elle dit :

– Au commencement, juste après le Big Bang, il y avait de la matière partout dans l'univers, c'était une vraie soupe cosmique.

Ha ! Ha ! Olive montre une photo avec tout le liquide gluant que j'avais renversé

sur ma pieuvre. Je sais pas comment elle a réussi à cacher la pieuvre sur la photo mais en tout cas, toute la classe écoute. Et c'est comme ça jusqu'au bout de son exposé.
– Et voilà comment sont apparues les huit planètes de notre système solaire !
Mademoiselle Jolibois n'en revient pas.
– Bravo Olive ! Et bravo Toto ! Mais dites-moi, le mobile, vous l'avez apporté ?
Pour qui elle nous prend, la maîtresse !?

Bien sûr qu'on est venus avec notre mobile. On l'a vite refait avec des ficelles. Il est un peu grand mais bon... Pour que tout le monde le voie, je monte sur mon bureau.

– Fais attention Toto !

– Vous inquiétez pas, Mademoiselle Jolibois ! Je sais faire. Et regardez, on peut même faire tourner notre mobile. Oh, oooh...

AAAAAAAHHHHH ! J'en ai assez de ce bidule et de ses planètes. À chaque fois que je le fais tourner, je me retrouve ficelé comme un saucisson. Et cette fois, c'est toute la classe qui rigole. Mais Mademoiselle Jolibois nous félicite quand même pour notre beau travail. Et on a une super note !

À la récréation, Olive s'avance vers moi, toute gentille :
– Tiens Toto. C'est un cadeau. Tu l'as bien mérité.
Waouh ! Je sais pas ce qui me fait le plus plaisir : son bisou ou le sac de billes qu'elle vient de m'offrir.
– Oh merci Olive ! Mais tu sais, moi aussi, j'ai un cadeau pour toi.
– C'est vrai ?

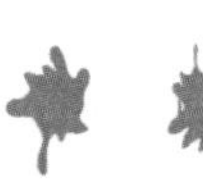

Je plonge vite ma main dans mon cartable et TADAM ! J'en ressors ma jolie pieuvre. Au début, Olive en a un peu peur mais quand elle voit que je m'amuse à courir après elle, elle commence à bien l'aimer, ma pieuvre… Y a pas à dire, Olive, c'est vraiment ma meilleure copine !

L'ESCAPADE SECRÈTE

Ce qui me plaît à l'école, c'est de retrouver mes copains chaque matin dans la cour. Enfin, surtout Olive…

– Chalut Toto ! Excuche-moi… j'ai tellement travaillé sur mon devoir de maths que je n'ai pas eu le temps de prendre mon petit déjeuner. Il était dur ce devoir, hein ?

– Euh… Ben moi, j'ai tellement travaillé sur mon petit déjeuner que j'ai pas eu le temps de faire mon devoir de maths. Mais si tu veux, j'ai un gâteau aux poires fait par mon papa.

Je le tends à Olive quand Jonas arrive en trombe pour me le voler. Il m'énerve, lui ! Faut toujours qu'il vienne m'embêter. Alors je fonce vers lui pour rattraper mon gâteau mais sans faire exprès, je donne un coup de pied dans le jus d'orange d'Olive. Résultat, tout coule dans son cartable.

– Oh non ! Mon devoir de maths est trempé. Et je n'ai pas le temps de le recopier, ça va sonner dans…

DRING !

Je suis furieux et Olive encore plus. Tout ça à cause de Jonas ! Et moi, je sais pas trop quoi dire ni quoi faire quand ma copine explique tout à Mademoiselle Jolibois.

– Je peux vous rendre une autre copie de mon devoir demain, maîtresse ?

– Non Olive, ce ne serait pas juste vis-à-vis de tes camarades. Je suis désolée mais c'est zéro.

Moi, j'ai le moral à zéro quand je rattrape Olive pour aller en récréation.
– J'suis désolé Olive. Elle a été dure Mademoiselle Jolibois. Faut croire qu'elle aime pas le jus d'orange !
– N'importe quoi Toto. Tu sais, c'est mon premier zéro de toute ma vie.
– Oh t'inquiète pas ! On s'y habitue vite. Moi, j'ai eu mon premier zéro à la maternelle.
Je sais pas ce que j'ai dit mais ma copine fait encore plus la tête.

– Tu fais toujours des bêtises Toto ! Et là, c'est vraiment le zéro qui fait déborder le vase. Je crois que je n'ai plus envie d'être ton amie. Tu me mets toujours dans le pétrin et ce n'est jamais de ta faute. Tiens, je te rends ta bague…

– Mais Olive !? C'est la bague des amis de Monsieur Incorrigible que je t'avais offerte pour ton anniversaire.

J'y crois pas ! Olive, ma meilleure copine de toute ma vie, s'en va dans la cour, sans me répondre, sans me regarder… RIEN !

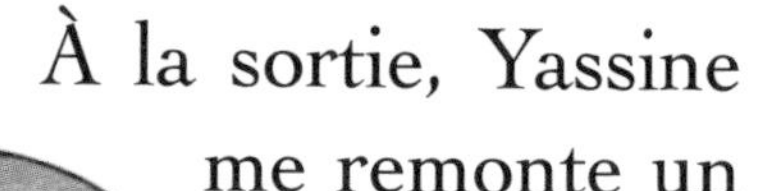

À la sortie, Yassine me remonte un peu le moral.
– Offre-lui des fleurs ! Mon père dit toujours que si tu offres des fleurs aux femmes, elles voient la vie en rose.
Il est génial Yassine ! J'suis sûr qu'Olive verra la vie en rose. Seulement dès que j'arrive à la maison, c'est vraiment pas rose… Je dois faire signer un mot à Papa pour ma dispute avec Jonas et j'ai beau lui expliquer que c'était pas de ma faute, rien à faire.
– Toto, va dans ta chambre et tu y restes jusqu'à nouvel ordre.

Il faut vite que je trouve un moyen de sortir de ma chambre.

– P'pa, écoute ! Je sais que c'est ma dixième punition ce mois… enfin, cette semaine, mais je…

Je cherche Papa partout et je le retrouve endormi dans un fauteuil à côté de Ninie. Et là, j'ai une idée géniale : je prends le talkie-walkie qui surveille les bruits que fait ma p'tite sœur et zou ! Je pars rejoindre Yassine. Si Papa se réveille, j'entendrai tout et reviendrai vite dans ma chambre.

Comme prévu, Yassine m'attend dans son hall d'entrée et il est hyper sage car son gardien et son gros chien Kiki sont juste à côté.

– Je suis désolé Toto. J'ai fouillé partout dans ma tirelire mais je n'ai pas d'argent pour les fleurs d'Olive.

Il est pas commode le gardien de Yassine mais il a l'oreille fine : il a tout entendu.

– Hé les enfants ! Kiki n'a plus de croquettes alors si vous allez en acheter, vous garderez la monnaie.

Waouh ! La chance ! Je saisis vite le billet et zou ! On part, Yassine et moi, au magasin spécial pour chiens et chats. Pfft… Il est radin, le gardien : il nous a donné juste ce qu'il fallait pour les croquettes de son toutou adoré ! Tout à coup, j'aperçois une vieille dame qui peine à tirer un gros sac de croquettes pour son petit caniche. Bingo ! Je cours vers elle.
– On peut vous aider, M'dame ?
– Oh merci mes petits ! J'habite juste en haut de cette rue.

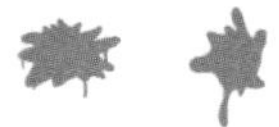
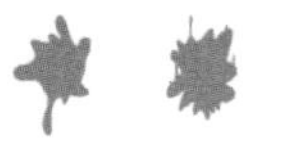

Argh ! J'ai jamais soulevé un truc aussi lourd. Yassine et moi, on y est presque quand CRAC ! Le sac s'éventre et voilà le caniche qui nous saute dessus pour manger les croquettes toutes éparpillées. On arrive enfin ! Et la vieille dame nous donne un joli billet. Je l'embrasserais tellement j'suis content car grâce à cet argent, Olive va avoir de belles fleurs et retrouver son beau sourire. Enfin, j'espère !

Quand on arrive devant l'immeuble de Yassine avec les croquettes de Kiki, le gardien a pas l'air satisfait.

– Pas d'accord ! Mon Kiki ne mange pas ces croquettes bon marché. Alors je récupère mon argent.

Et il me prend le billet que la vieille dame nous a donné.

– Je suis prêt à vous le rendre si vous lavez le sol à ma place.

Pauvre Yassine, il a pas trop envie de frotter le hall de son immeuble mais moi, j'irais décrocher la lune pour Olive !

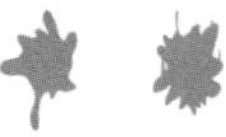

Alors je nettoie bien partout mais le gardien est toujours pas content.
– Allez, allez, feignants ! Plus vite que ça ! Faut que ça sèche car Kiki doit sortir faire pipi.
Je passe la serpillière encore plus vite mais je sais pas ce qu'il se passe. Yassine se gratte comme un fou sur le ventre.
– Ça démange ! Toto, regarde ce que j'ai

sous le pull. Beurk ! Une croquette du caniche de la vieille dame.

Oh non ! Yassine lance la croquette pour s'en débarrasser et voilà le chien du gardien qui saute pour l'attraper. Et PLAF ! En voulant retenir son cher Kiki, le gardien renverse le seau d'eau. Il est furieux alors Yassine et moi, on part en courant dans la rue.

Mais j'suis super déçu.
– Dis Yassine, va falloir trouver un autre moyen pour acheter des fleurs à Olive et vite car le temps presse !
À peine je dis ça à mon copain que j'entends le talkie-walkie grésiller avec la voix de Papa. Mince ! Ninie et lui sont réveillés. On attend qu'il descende la promener et zou ! Je vais chercher des vieux trucs dont je ne me sers plus dans ma chambre. J'ai une nouvelle idée pour récolter de l'argent.

J'explique tout à Yassine. On se rend vite au parc et on installe mes vieux jouets pour essayer de les vendre à des promeneurs.
– Approchez, Mesdames et Messieurs, approchez ! Bienvenue à la vente de mes farces et attrapes !
Ouais ! Tout le monde m'entend et y a déjà plein de gens qui s'approchent. Mais pas de chance ! Le gardien du parc arrive aussi pour nous faire partir. Il paraît que c'est interdit de vendre des choses ici.

– Désolé Toto. Comme dit mon père, quand ça ne veut pas, ça ne veut pas.
Il a raison le papa de Yassine. Olive aura jamais ses fleurs et moi, j'aurai perdu ma meilleure copine pour toujours. On décide de rentrer quand je reconnais la voix de mon père et celle du gardien de Yassine. Et tous deux ont l'air très très en colère…
Quand je vois Papa avec le talkie-walkie dans une main, je comprends tout de suite pourquoi il m'a retrouvé au parc : il a dû

m'entendre dire à mon copain où on allait. Quant au maître de Kiki, il nous a suivis, furieux qu'on ait sali son hall. Yassine a tellement peur qu'il se cache dans un buisson et moi, tout ce que je trouve pour échapper à Kiki, au gardien et à Papa, c'est de grimper en haut d'un réverbère.

– TOTO ! Descends de là ! Ta punition va être terrible !

– Vous avez raison, Monsieur. Ce gamin a mis le bazar dans mon hall.

Je sais plus où me mettre quand Kiki a une super idée : il poursuit Papa ! Il est courageux mon papa mais y a des limites. Alors il fonce dans un buisson pour pas se faire croquer les fesses ! En tout cas, puisqu'il y a plus personne autour de moi, je me laisse tomber du réverbère et atterris derrière des buissons. Et là, j'en crois pas mes yeux : devant moi, y a PLEIN de fleurs ! Des rouges ! Des jaunes ! Des bleues ! Je les ramasse délicatement.

C'est impossible qu'Olive craque pas ! Quand je la croise avec Carole, j'ai le cœur qui tape un peu. Je lui tends alors mon beau bouquet.

– Tiens Olive, c'est pour toi. Tu me pardonnes pour ton zéro ?

Génial ! Elle me regarde d'un air tout gentil, s'avance vers les fleurs pour les respirer et… ATCHOUM !

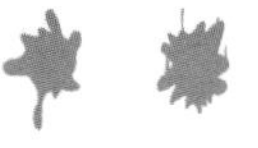

– Oh Toto, c'est trop gentil. Bien sûr que je te pardonne mais je suis allergique au pollen des fleurs. Euh… Tu sais Toto, les fleurs, ce n'est pas trop mon truc mais je veux bien reprendre ta bague des amis de Monsieur Incorrigible. Enfin, si tu es d'accord…

Comment ça d'accord ? MAIS BIEN SÛR QUE JE SUIS D'ACCORD ! Olive sans bague, c'est pas MON Olive ! Alors facile, je la sors de ma poche. Et là, qui voit la vie en rose ? Ma meilleure copine… Et moi aussi, bien sûr !

Collection dirigée par Lise Boëll

Cet ouvrage est adapté d'une bande dessinée de Thierry Coppée parue aux Éditions Delcourt et d'une série télévisée produite par Gaumont-Alphanim.
Pour la bande dessinée :
Les Blagues de Toto © Guy Delcourt Productions - Thierry Coppée.
Pour la série télévisée :
Les Blagues de Toto © 2009 Gaumont-Alphanim. Tous droits réservés.
D'après la bande dessinée "Les Blagues de Toto" créée par Thierry Coppée, publiée aux Éditions Delcourt.
Réalisé par Gilles Dayez. Écrit par Fred Louf.
La Fête à Toto écrit par Martin Clément.
Toto mobile écrit par Chloé Glachant, Régis Jaulin et David Tarde.
L'Escapade secrète écrit par Martin Clément.

Publication originale :
© Éditions Albin Michel, S.A., 2012
22 rue Huyghens, 75014 Paris
www.albin-michel.fr

Adaptation : Valérie Videau
Conception éditoriale : Lise Boëll
Éditorial : Marie-Céline Moulhiac
Direction artistique : Ipokamp

ISBN 978-2-226-23132-1
Loi n°49-956 du 16 juillet 1949 sur les publications destinées à la jeunesse
Achevé d'imprimer en France par Pollina - L59067a
Dépôt légal : janvier 2012